★ DAS NEUE ★

KINDER KOCHBUCH

BELLAVISTA

Satz Rührschüsseln
Meßkrug
Hackbrett
Geschirrtuch
Sieb
Backblech
Meßbecher
Schere
Reibe
Heber
Scharfes Messer
Gabel
Kartoffelschäler
Eiscremeportionierer
Teigpinsel
Kleiner Topf
Holzlöffel
Meßlöffel
Ofenhandschuhe

Bevor du loslegst ...

Kochen macht riesigen Spaß, wenn du alles richtig organisierst. Aber du solltest an einige Dinge denken, bevor du Rezepte aus diesem Buch ausprobierst.

- Bitte immer einen Erwachsenen um Erlaubnis, bevor du mit dem Kochen beginnst.
- Wasch dir die Hände gründlich mit Wasser und Seife, und binde dir eine Schürze um, um deine Kleider zu schützen.
- Wenn du etwas aus dem Backofen oder der Mikrowelle nimmst, zieh immer einen Ofenhandschuh über.
- Vorsicht bei Töpfen und Pfannen auf dem Herd. Dreh die Griffe nach innen, damit du nichts herunterreißt. Beim Umrühren halte Töpfe oder Pfannen immer fest, damit sie nicht vom Herd rutschen.
- Stell heiße Töpfe und Schüsseln von der Kochplatte oder aus dem Backofen immer auf ein Brett.
- Nimm nie die Finger, wenn du wissen willst, ob ein Gericht gar ist, sondern teste es vorsichtig mit der Löffelrückseite. Wenn du dich verbrannt hast, halte die verbrannte Stelle unter fließendes kaltes Wasser.
- Vergiß nicht, Backofen, Herdplatte oder Gas nach dem Gebrauch abzustellen.
- Wenn du noch keine Übung im Umgang mit scharfen Messern hast, bitte einen Erwachsenen, dir beim Hacken zu helfen. Benutz immer ein Hackbrett – nie Arbeitsfläche oder Tisch. Und faß ein Messer nie an der Klinge an.
- Bevor du loslegst, lies das ganze Rezept durch. Überprüfe, ob du alles hast, was du brauchst. Stell alle Zutaten und Geräte auf dem Küchentisch oder der Arbeitsfläche bereit.
- Die Rezepte in diesem Buch sind so eingeteilt, daß du immer etwas dazulernst. Wenn du noch Anfänger bist, probier erst die leichten Gerichte (mit einer Kochmütze) aus, später die schwereren.

Snacks und Getränke

Schnelle Würstchenrollen

Vorbereitungszeit: 20 Min.
Garzeit: 15 Min. Ergibt: 16

ZUTATEN
16 Cocktail-Würstchen
4 Lagen Fertigblätterteig
Milch, zum Glasieren
Tomatensoße, zum Dippen

KÜCHENGERÄTE
scharfes Messer
Teigpinsel
Backbleche
Ofenhandschuhe

Stell alles, was du brauchst, auf der Arbeitsfläche oder dem Tisch bereit. Schalte den Backofen auf 210 °C.

1 Die Würstchen auseinanderschneiden, wenn nötig.

2 Den Blätterteig in jeweils 2 Streifen schneiden. Jeden Streifen quer halbieren, so daß 16 Rechtecke entstehen.

3 Ein Würstchen ans Ende eines Teigrechtecks legen, Würstchen einrollen. Teig am Ende mit Milch bestreichen und an der Verbindungsstelle fest zusammendrücken. Rolle mit der Verbindungsstelle nach unten auf ein Backblech legen. Restlichen Teig und Würstchen genauso verarbeiten.

4 Jede Rolle mit einer scharfen Messerspitze viermal einritzen. Mit Milch bestreichen. 15 Min. goldbraun backen. Dazu Tomatensoße servieren.

Schneide jedes Teigstück in zwei Streifen, dann halbiere jeden Streifen noch einmal quer.

Ingwer-Kekse

Vorbereitungszeit: 50 Min.
Backzeit: 15 Min. Ergibt: etwa 24

ZUTATEN

zerlassene Butter oder Öl, zum Einfetten
4 EL Honig
5 EL Butter
50 g brauner Zucker
1 Ei
300 g Mehl
1 TL Backpulver
3 TL Ingwer, gemahlen
2 TL Korinthen

Glasur

300 g Puderzucker
2 TL Butter, zerlassen
1–2 EL Wasser
Lebensmittelfarben
Liebesperlen, zum Dekorieren

KÜCHENGERÄTE

Backbleche
Krug
kleiner Topf
Meßlöffel
3 Rührschüsseln
Elektromixer
Haushaltspapier
Nudelholz
Ausstechformen
Heber
feinmaschiges Sieb
Ofenhandschuhe
Holzlöffel

Stell alles, was du brauchst, auf der Arbeitsfläche oder dem Tisch bereit. Schalte den Backofen auf 180 °C. Fette die Backbleche mit zerlassener Butter oder Öl ein.

1 Honig in den Krug füllen und in einen Topf mit heißem Wasser stellen, bis der Honig warm und flüssig ist.

2 Butter und Zucker in eine der Rührschüsseln geben und mit dem Mixer cremig rühren.

3 Ei trennen. Eigelb unter die Butter-Zucker-Mischung rühren.

4 Mehl, Backpulver und Ingwer in eine zweite Rührschüssel sieben. Mehlmischung und Honig vorsichtig zur Butter-Zucker-Mischung geben und gut verrühren.

5 Mischung aus der Schüssel nehmen und auf der Arbeitsfläche leicht durchkneten. Mit dem Nudelholz sehr dünn ausrollen.

6 Mit Ausstechformen Figuren oder Tiere ausstechen. Mit dem Heber vorsichtig auf gefettete Backbleche legen. Korinthen als Augen auf die Figuren legen.

7 Bleche in den Backofen schieben und 15 Min. backen. Backofen ausschalten, Bleche herausziehen und 15 Min. abkühlen lassen.

8 Für die Glasur Puderzucker, Butter und Wasser in einer kleinen Schüssel mischen. Mischung auf mehrere kleine Schüsseln verteilen und unterschiedlich einfärben. Kekse mit der Glasur dekorieren. Liebesperlen mit der Glasur auf den Figuren festkleben. Einen Keks nach dem anderen dekorieren, weil die Glasur schnell fest wird.

Knuspriges Kräuter-Knoblauch-Brot

Vorbereitungszeit: 10 Min.
Backzeit: 3 Min. Ergibt: 4 Portionen

ZUTATEN

2 Baguettebrötchen
2 EL Butter, weich
1 Knoblauchzehe, zerdrückt
1 EL frisches Basilikum, gehackt

KÜCHENGERÄTE

scharfes Messer
Meßlöffel
kleine Schüssel
Messer

Stell alles, was du brauchst, auf der Arbeitsfläche oder dem Tisch bereit. Schalte den Grill im Backofen auf große Hitze.

1 Baguettebrötchen der Länge nach durchschneiden.

2 Butter, Knoblauch und Basilikum in der Schüssel mischen.

3 Die Außenseiten der Brötchen 1 Min. goldbraun rösten.

4 Buttermischung auf der Schnittseite verstreichen und 1 Min. goldbraun rösten.

Hinweise: Die Brötchen sollten unmittelbar vor dem Servieren zubereitet werden, aber die Knoblauchbutter läßt sich im voraus zubereiten und kann bis zu 3 Monaten eingefroren werden. Vor dem Verstreichen auf dem Brot auftauen.

Wenn du einen ganz besonderen Imbiß servieren möchtest, röste die Außenseiten der Brötchen. Danach werden die Schnittseiten mit der Buttermischung bestrichen und mit einer Scheibe Käse und einer halben Scheibe gehacktem Frühstücksspeck belegt. 2 Min. unter den Grill legen, bis der Speck knusprig und braun ist.

Erdnuß-Schoko-Kekse

Vorbereitungszeit: 20 Min.
Garzeit: 20 Min. Ergibt: etwa 20

ZUTATEN

zerlassene Butter oder Öl, zum Einfetten
100 g Mehl
$^1/_2$ TL Backpulver
100 g Schokolinsen
100 g ungesalzene Erdnüsse, geröstet, gehackt
50 g Zucker
2 EL Butter
50 g Erdnußbutter
1 Ei, leicht verquirlt
zusätzliche Schokolinsen, zum Dekorieren

KÜCHENGERÄTE

Teigpinsel
2 Backbleche
Backpapier
Mehlsieb
große Rührschüssel
Meßlöffel
Holzlöffel
kleiner Topf
Ofenhandschuhe

Stell alles, was du brauchst, auf der Arbeitsfläche oder dem Tisch bereit. Schalte den Backofen auf 180 °C. Bestreiche die Backbleche mit zerlassener Butter oder Öl und lege sie mit Backpapier aus.

1 Mehl in die Rührschüssel sieben. Schokolinsen, Erdnüsse und Zucker dazugeben. Gut verrühren. In die Mitte ein Loch drücken.

2 Butter und Erdnußbutter in einen kleinen Topf geben. Bei niedriger Hitze unter Umrühren zerlassen. Vom Herd nehmen und leicht abkühlen lassen.

3 Butter und Ei zu den trockenen Zutaten geben und leicht verrühren.

4 Jeweils 1 EL der Mischung auf die Backbleche tropfen lassen. Platz zum Ausbreiten frei lassen. 20 Min. goldbraun backen. Auf den Blechen abkühlen lassen.

5 Zusätzliche Schokolinsen in einer Schüssel im Wasserbad zerlassen. Jeweils 1 TL auf jeden Keks tropfen lassen.

Erdbeer-Bananen-Shake

Vorbereitungszeit: 5 Min.
Garzeit: keine   Ergibt: 2 Portionen

ZUTATEN

1 kleine reife Banane, kleingehackt
75 g Erdbeeren, kleingehackt
250 ml Milch
3 Kugeln Eiscreme

KÜCHENGERÄTE

Meßbecher
scharfes Messer
Eiscremeportionierer
Mixer oder Rührgerät

1 Banane, Erdbeeren, Milch und Eiscreme in einen Mixer oder eine Schüssel geben.

2 Bei hoher Geschwindigkeit 1 Min. rühren, bis die Mischung glatt ist. In Serviergläser gießen.

Himbeer-Joghurt-Drink

Vorbereitungszeit: 5 Min.
Garzeit: keine   Ergibt: 3 Portionen

ZUTATEN

200 ml Milch
100 ml Himbeerjoghurt
150 g Himbeeren, tiefgefroren

KÜCHENGERÄTE

Meßbecher
Mixer oder Rührgerät

1 Milch, Joghurt und Himbeeren in einen Mixer oder eine Schüssel geben.

2 Bei hoher Geschwindigkeit 1 Min. glattrühren. In Serviergläser gießen.

Hinweis: Die tiefgefrorenen Himbeeren machen den Drink dick und kalt.

Erdbeer-Bananen-Shake (rechts) und Himbeer-Joghurt-Drink

Schoko-Malz-Drink

Vorbereitungszeit: 5 Min.
Garzeit: keine   Ergibt: 2 Portionen

ZUTATEN

250 ml Milch
1 EL Kakao
1 EL Malzpulver oder 6 ganz klein zerstoßene Malzbonbons
4 Kugeln Eiscreme

KÜCHENGERÄTE

Meßbecher
Mixer oder Rührgerät
Eiscremeportionierer

1 Milch, Kakao, Malz und Eiscreme in einen Mixer oder eine Schüssel geben.
2 Bei hoher Geschwindigkeit 1 Min. alle Zutaten gut mischen. In Gläser gießen und servieren.

Mango-Zauber

Vorbereitungszeit: 5 Min.
Garzeit: keine   Ergibt: 1 Portion

ZUTATEN

200 g frische Mango, kleingehackt
1/2 Becher Vanilleeiscreme

KÜCHENGERÄTE

Mixer oder Rührgerät
Meßbecher

1 Eiscreme in den Mixer oder eine Schüssel füllen und grob verrühren.
2 Mango dazugeben. Obst und Eis gut mischen. In ein hohes Glas gießen und sofort servieren.

Schoko-Malz-Drink (links) und Mango-Zauber

Teegebäck mit Marmelade und Sahne

Vorbereitungszeit: 15 Min.
Garzeit: 10 Min. Ergibt: etwa 12

ZUTATEN

100 g Mehl
$^{1}/_{2}$ TL Backpulver
2 EL Zucker
1 Ei, leicht verquirlt
125 ml Milch
1 TL Butter, zerlassen
Marmelade und Schlagsahne, zum Servieren

KÜCHENGERÄTE

Mehlsieb
mittelgroße Rührschüssel
Meßlöffel
Holzlöffel
Schneebesen
Teigpinsel
große Bratpfanne
Heber

Stell alles, was du brauchst, auf der Arbeitsfläche oder dem Tisch bereit.

1 Mehl in die Schüssel sieben und Zucker unterrühren. Ein Loch in die Mitte drücken.

2 Ei und Milch verrühren und sofort zu dem Mehl geben. Mit dem Schneebesen schlagen, bis die Flüssigkeit ganz untergerührt und der Teig glatt ist.

3 Den Boden der Bratpfanne leicht mit der zerlassenen Butter bestreichen. Teig eßlöffelweise im Abstand von 2 cm in die Pfanne geben.

4 Bei mittlerer Hitze 1 Min. rösten, bis die Unterseite goldbraun ist und sich auf der Oberseite Blasen zeigen. Mit einem Heber umdrehen und auf der anderen Seite 1 Min. goldbraun rösten.

5 Teegebäck aus der Pfanne nehmen, restlichen Teig genauso verarbeiten. Plätzchen abkühlen lassen. Dazu Marmelade und Schlagsahne servieren.

Hinweis: Das Teegebäck schmeckt frisch am besten. Dazu paßt jede Art von Marmelade.

Muffin-Pizzas

Vorbereitungszeit: 20 Min.
Garzeit: 15 Min. Ergibt: 4 Portionen

ZUTATEN

4 Muffins
4 EL Tomatenmark

Salami-Käse-Belag

4 Scheiben Salami, gehackt
1 Frühlingszwiebel, gehackt
3 EL herzhafter Käse, gerieben
$^{1}/_{2}$ TL Kräutermischung, getrocknet

Speck-Ananas-Belag

1 Scheibe Frühstücksspeck, gehackt
100 g Ananasstücke aus der Dose, abgetropft
3 EL Mozzarella oder herzhafter Käse, gerieben
1 EL Parmesan, gerieben

KÜCHENGERÄTE

scharfes Messer
Dosenöffner
Reibe
Sieb
Ofenhandschuhe

Stell alles, was du brauchst, auf der Arbeitsfläche oder dem Tisch bereit. Schalte den Backofen auf 210 °C.

1 Muffins halbieren und mit Tomatenmark bestreichen.

2 Muffins nach Wahl belegen.

3 Muffins auf ein Backblech legen. 15 Min. goldbraun backen.

Hinweise: Muffin-Pizzas schmecken heiß am besten.
Du kannst dir deinen Lieblingsbelag selbst zusammenstellen, beispielsweise mit Pilzscheiben, Paprikastreifen, Tomatenscheiben oder kleingehacktem Schinken.

Vanille-Schoko-Kekse

Vorbereitungszeit: 20 Min.
Garzeit: 15 Min. Ergibt: etwa 18

ZUTATEN

zerlassene Butter oder Öl, zum Einfetten
3 EL Butter
2 EL brauner Zucker
100 g Mehl
$^{1}/_{2}$ TL Backpulver
1 Päckchen Vanillepuddingpulver
1 Beutel Schokolinsen

KÜCHENGERÄTE

Teigpinsel
2 Backbleche
Backpapier
Schere
Elektromixer
große Rührschüssel
Mehlsieb
Holzlöffel
Gabel

Stell alles, was du brauchst, auf der Arbeitsfläche oder dem Tisch bereit. Schalte den Backofen auf 180 °C. Bestreiche die Bleche mit zerlassener Butter oder Öl, lege sie mit Backpapier aus und bestreich das Papier mit ein wenig Butter.

1 Butter und Zucker in die Schüssel geben und mit dem Mixer zu einer leichten, cremigen Mischung verrühren.

2 Durchgesiebtes Mehl, Backpulver und Puddingpulver dazugeben und mit dem Holzlöffel gut verrühren.

3 Jeweils 1 TL Teig mit den Handflächen zu einer Kugel formen. Die gesamte Mischung auf diese Weise verarbeiten und auf Backbleche legen. Zwischenraum zum Ausbreiten lassen.

4 Kugeln mit der Gabel leicht flachdrücken. 15 Min. goldbraun backen. Auf den Blechen abkühlen lassen.

5 Für die Dekoration Schokolinsen in einer Schüssel in einem heißen Wasserbad zerlassen. Jeden Keks halb in die Schokolade tauchen.

Apfel-Muffins

Vorbereitungszeit: 20 Min.
Garzeit: 15 Min. Ergibt: etwa 18

ZUTATEN

zerlassene Butter oder Öl, zum Einfetten
1 mittelgroßer, grüner Apfel
4 EL Butter
300 g Mehl
1 Päckchen Backpulver
100 g Zucker
1 Ei, leicht verquirlt
250 ml Milch

KÜCHENGERÄTE

Teigpinsel
3 Muffin-Formen für jeweils 6 Stück
Kartoffelschäler
scharfes Messer
Mehlsieb
große Rührschüssel
Holzlöffel
Ofenhandschuhe

Stell alles, was du brauchst, auf der Arbeitsfläche oder dem Tisch bereit. Schalte den Backofen auf 210 °C. Bestreiche die Backformen mit zerlassener Butter oder Öl.

1 Apfel schälen und vierteln; Kerngehäuse entfernen. Apfel und Butter in 5 mm große Würfel schneiden.

2 Mehl in die Schüssel sieben. Zucker, Apfel und Butter dazugeben und gut verrühren. In der Mitte ein Loch eindrücken.

3 Ei und Milch mischen und auf einmal zu den trockenen Zutaten geben. Mit dem Holzlöffel umrühren, aber nicht zu kräftig.

4 Teig in die Formen geben, so daß die Vertiefungen zu zwei Drittel gefüllt sind.

5 Muffins 15 Min. backen, bis sie aufgegangen und braun sind. Auf einem Drahtgitter abkühlen lassen. Warm mit Butter servieren.

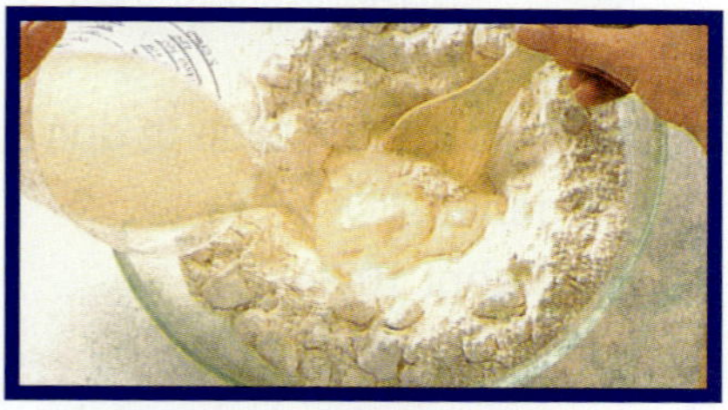

Drück ein Loch in die Mitte der Mehlmischung und gieße Ei und Milch auf einmal hinein.

Pfannkuchen

Vorbereitungszeit: 5 Min.
Garzeit: 2 Min. pro Pfannkuchen   Ergibt: etwa 10

ZUTATEN

125 g Mehl
2 Eier
200 ml Milch
Butter zum Einfetten

KÜCHENGERÄTE

Meßbecher
Mixer oder Rührgerät
kleine Rührschüssel
kleine Bratpfanne (ca. 18 cm)
Heber
Teller
Geschirrtuch

Stell alles, was du brauchst, auf der Arbeitsfläche oder dem Tisch bereit.

1 Mehl, Eier und Milch in den Mixer geben.

2 Den Knopf 10 Sek. herunterdrücken, bis die Zutaten gemischt sind und der Teig nicht mehr klumpig ist. Oder die Zutaten in eine kleine Schüssel geben und mit dem Schneebesen rühren, bis alle Klumpen verschwunden sind.

3 Bratpfanne mit Butter einfetten und 2 EL Teig hineingeben. Pfanne schwenken, so daß der Teig sich gleichmäßig verteilt.

4 Bei mittlerer Hitze 1 Min. backen, bis die Unterseite goldbraun ist. Pfannkuchen mit dem Heber wenden. Die andere Seite 1 Min. goldbraun backen. Fertigen Pfannkuchen auf einen Teller legen; mit einem Geschirrtuch bedecken und an einen warmen Platz stellen.

3 Den restlichen Teig genauso verarbeiten, wenn nötig, die Pfanne noch einmal einfetten.

Spiegelei mit Speck

Vorbereitungszeit: keine
Garzeit: 6 Min. Ergibt: 1 Portion

ZUTATEN

2 TL Butter
1 Scheibe Frühstücksspeck, ohne Schwarte
1 Ei

KÜCHENGERÄTE

Meßlöffel
mittelgroße Bratpfanne
Tasse
Heber
Haushaltspapier

Stell alles, was du brauchst, auf der Arbeitsfläche oder dem Tisch bereit.

1 Butter in der Bratpfanne zerlassen. Frühstücksspeck dazugeben und auf jeder Seite 2 Min. bei mittlerer Hitze hellbraun braten. An den Rand der Pfanne schieben.

2 Ei in eine Tasse schlagen. Herd auf niedrige Hitze schalten. Ei in die Pfanne gleiten lassen. 2 Min. oder so lange wie gewünscht braten. Ei mit dem Heber aus der Pfanne nehmen. Speck auf Haushaltspapier abtropfen lassen und mit dem Ei auf einen Teller legen. Wenn gewünscht, Toast dazu servieren.

Hinweise: Manche Leute mögen es lieber, wenn das Ei flüssig ist, andere bevorzugen ein gut durchgebratenes.
Um die Festigkeit zu testen, berühre das Eigelb vorsichtig mit der Rückseite eines Löffels. Je länger es gebraten wird, desto fester wird es. Ein festes Eigelb verfärbt sich hellgelb.

Willst du zum Ei eine Wurst servieren, bereite sie genauso zu wie den Speck, aber brate sie länger. Eine dünne braucht etwa 5 Min., eine dicke 10 Min.

Soll das Ei kreisrund werden, benutze einen eingefetteten Eierring. Lege ihn in die Pfanne und laß das Ei hineingleiten.

French Toast

Vorbereitungszeit: 5 Min.
Garzeit: 2 Min. Ergibt: 2 Portionen

ZUTATEN

1 Ei
2 EL Milch
2 Scheiben Rosinenbrot
2 TL Butter

KÜCHENGERÄTE

kleine Schüssel
Gabel
Meßlöffel
mittelgroße Bratpfanne
Heber

Stell alles, was du brauchst, auf der Arbeitsfläche oder dem Tisch bereit.

1 Ei in eine kleine Schüssel schlagen, Milch dazugeben und mit der Gabel leicht schlagen.

2 Rosinenbrot in die Eimischung tauchen, bis es vollgesogen ist.

3 Butter in der Bratpfanne zerlassen. Brot in die Pfanne legen. Bei mittlerer Hitze 1 Min. backen, bis die Unterseite goldbraun ist.

4 Brot mit einem Heber wenden. Noch etwa 1 Min. backen. Dieser französische Toast sollte sofort serviert werden.

Hinweis: Du kannst den Toast mit Honig oder hellem Sirup beträufeln oder mit Zucker bestreuen.

Weiche Rosinenbrotscheiben in einer Ei-Milch-Mischung ein.

Backe das Rosinenbrot auf beiden Seiten goldbraun.

Maispuffer

Vorbereitungszeit: 15 Min.
Garzeit: 6 Min. Ergibt: 6

ZUTATEN

60 g Mehl + 1 Messerspitze Backpulver
300 g Maiskörner aus der Dose, abgetropft
2 Eier, leicht verquirlt
2 EL herzhafter Käse, gerieben
1 EL Butter

KÜCHENGERÄTE

Meßbecher
Meßlöffel
Mehlsieb
Dosenöffner
große Rührschüssel
Holzlöffel
mittelgroße Bratpfanne
Heber
Haushaltspapier

Stell alles, was du brauchst, auf der Arbeitsfläche oder dem Tisch bereit.

1 Mehl und Backpulver in die Schüssel sieben. Mais und Käse dazugeben und gut verrühren.

2 In die Mitte ein Loch drücken, Eier hineinschlagen und verrühren. Mischung in 6 gleich große Portionen aufteilen.

3 Die Hälfte der Butter in der Bratpfanne zerlassen. Drei Portionen Teig im Abstand von etwa 3 cm in die Pfanne geben.

4 Puffer bei mittlerer Hitze 3 Min. backen, bis die Unterseite goldbraun ist. Mit dem Heber wenden. Auch die andere Seite 3 Min. goldbraun backen. Aus der Pfanne nehmen und auf Haushaltspapier abtropfen lassen. Den Rest der Mischung genauso verarbeiten.

Hinweis: Zur Abwechslung kannst du vor dem Backen 1 EL Schnittlauchröllchen oder gehackte Petersilie zu der Mischung geben.

Rührei

Vorbereitungszeit: 5 Min.
Garzeit: 2 Min. Ergibt: 1 Portion

ZUTATEN

2 Eier
2 EL Milch
2 TL Schnittlauchröllchen
2 TL Butter
2 Scheiben Toastbrot
Butter für den Toast

KÜCHENGERÄTE

kleine Rührschüssel
Schneebesen
Meßlöffel
kleine Bratpfanne (ca. 18 cm)
Holzlöffel
Toaster oder Grill im Backofen
Messer

Stell alles, was du brauchst, auf der Arbeitsfläche oder dem Tisch bereit.

1 Eier in die Rührschüssel schlagen. Milch und Schnittlauchröllchen dazugeben; mit dem Schneebesen verrühren.

2 Butter in der Bratpfanne zerlassen. Eimischung hineingießen. Bei niedriger Hitze 2 Min. vorsichtig umrühren, bis die Eier fest sind. Nicht kochen lassen.

3 Wenn die Eier beinahe fest sind, Toast zubereiten. Brotscheiben im Toaster goldbraun rösten oder unter den heißen Grill im Backofen legen und 1–2 Min. goldbraun backen. Heißen Toast mit Butter bestreichen; in Dreiecke schneiden und zum Rührei servieren.

Hinweise: Brate das Rührei nicht zu lange, sonst wird es trocken und krümelig. Rührei sollte feucht, glänzend und cremig sein.

Zur Abwechslung kannst du 2 EL herzhaften geriebenen Käse oder eine Prise getrocknete Kräutermischung vor dem Garen dazugeben.

Bereite Rührei immer erst unmittelbar vor dem Servieren zu.

Schinken-Käse-Croissants

Vorbereitungszeit: 10 Min.
Garzeit: 10 Min. Ergibt: 2 Portionen

ZUTATEN

2 Croissants
2 Scheiben Schinken
2 Scheiben herzhafter Käse

KÜCHENGERÄTE

scharfes Messer
Backblech
Ofenhandschuhe

Stell alles, was du brauchst, auf der Arbeitsfläche oder dem Tisch bereit. Schalte den Backofen auf 180 °C.

1 Croissants mit einem scharfen Messer aufschneiden. Mit der aufgeschnittenen Seite nach oben auf das Backblech legen.

2 Schinken- und Käsescheiben halbieren. Jede Croissanthälfte mit Schinken und Käse belegen. 10 Min. backen, bis der Käse zerlaufen ist.

Hinweise: Du kannst die Croissants schon im voraus vorbereiten und dann direkt vor dem Servieren überbacken.

Du kannst rohen oder gekochten Schinken, Schweizer Käse oder Gouda verwenden.

Croissants gibt es frisch beim Bäcker oder auch tiefgefroren im Supermarkt.

Französisches Omlette

Vorbereitungszeit: 2 Min.
Garzeit: 2 Min. Ergibt: 1 Portion

ZUTATEN

2 Eier
2 TL Wasser
2 TL Butter

KÜCHENGERÄTE

kleine Rührschüssel
Meßlöffel
Gabel
Bratpfanne, 20 cm
Heber

Stell alles, was du brauchst, auf der Arbeitsfläche oder dem Tisch bereit.

1 Eier in die Schüssel schlagen und Wasser dazugeben. Mit der Gabel schlagen, bis Eiweiß und Eigelb vermengt sind.

Pfanne nach allen Seiten neigen, damit die Mischung in Bewegung bleibt.

2 Butter in der Pfanne zerlassen, bis sie schaumig ist. Pfanne nach allen Seiten neigen, damit sich die Butter über den Pfannenboden verteilt.

3 Eier in die Pfanne gießen und bei mittlerer Hitze garen, bis sie fest sind. Dabei die Pfanne weiterhin nach allen Seiten neigen, damit die Mischung in Bewegung bleibt.

4 Mit dem Heber das Omelette zusammenklappen und auf einen Servierteller gleiten lassen. Sofort servieren.

Füllungen: Du kannst eine Füllung zubereiten und sie vor dem Zusammenklappen auf das Omelette geben. Hier einige Vorschläge:

- 1 Scheibe Frühstücksspeck, gebraten und gehackt, oder gekochter Schinken.
- 6 Champignons in Scheiben, in 2 TL Butter gebraten.
- 2 EL herzhafter Käse, fein gerieben.

Das Frühstückstablett

Mit einem Frühstück im Bett kannst du Mutter und Vater richtig verwöhnen. Aber bitte **auf jeden Fall** um Erlaubnis, bevor du Wasser für Tee oder Kaffee aufsetzt.

Tee und Kaffee

Wenn du einen Pulverkaffee oder nur eine Tasse Tee zubereiten willst, bring zuerst das Wasser zum Kochen. Nimm die Tasse oder den Becher und gib 1 TL Kaffee oder 1 Teebeutel hinein. Wenn das Wasser kocht, geh mit der Tasse zum Kessel und gieß es vorsichtig hinein. Laß den Teebeutel 2 Min. ziehen, dann nimm ihn mit einem Löffel heraus. Serviere Milch und Zucker getrennt.

Für eine Kanne Tee: miß 1 TL losen Tee pro Tasse ab.

Nach dem Aufgießen laß den Tee 4–5 Min. ziehen, danach gieß ihn durch ein Sieb in die Tassen.

Zubereitung von Orangensaft

Für ein Glas frischen Orangensaft brauchst Du zwei Orangen. Du kannst jeden beliebigen Entsafter benutzen.

Bereite den Saft kurz vor dem Servieren zu, damit das Fruchtfleisch sich nicht absetzt.

Pochiertes Ei auf Toast

Zum Pochieren füllst du einen kleinen Topf etwa 3 cm hoch mit Wasser und bringst es zum Kochen. Schlag das Ei in eine Tasse und laß es vorsichtig in das Wasser gleiten. Schalte die Herdplatte aus, leg einen Deckel auf den Topf und laß das Ei stehen, bis das Eiweiß fest ist und das Eigelb weiß wird. Heb das Ei vorsichtig mit dem Heber aus dem Topf. Dazu servierst du mit Butter bestrichenen Toast.

Einfaches Mittagessen

Hähnchen-Nudel-Salat

Vorbereitungszeit: 20 Min.
Garzeit: 15 Min. Ergibt: 4 Portionen

ZUTATEN

80 g gedrehte Nudeln
100 g Erbsen, tiefgefroren
$^{1}/_{2}$ gegrilltes Hähnchen
120 g Maiskörner aus der Dose, abgetropft
1 mittelgroße rote Paprikaschote, gehackt
4 Frühlingszwiebeln, gehackt
$^{1}/_{3}$ grüne Gurke, in Scheiben
4 EL italienisches Dressing aus der Flasche

KÜCHENGERÄTE

großer Topf
Sieb
mittelgroßer Topf
scharfes Messer
große Rührschüssel

Stell alles, was du brauchst, auf der Arbeitsfläche oder dem Tisch bereit.

1 Nudeln in einen Topf mit kochendem Wasser geben und etwa 10 Min. garen, bis sie anfangen, weich zu werden. In ein Sieb gießen, mit kaltem Wasser abspülen und abtropfen lassen.

2 Erbsen in einen mittelgroßen Topf mit kochendem Wasser geben und etwa 2 Min. garen, bis sie weich sind. Abgießen, mit kaltem Wasser abspülen und abtropfen lassen.

3 Hähnchenfleisch von den Knochen lösen und in dünne Streifen schneiden.

4 Nudeln, Erbsen, Maiskörner und Fleisch in der Rührschüssel mit Paprika, Frühlingszwiebeln und Gurke mischen. Dressing dazugeben und gut umrühren.

Hinweise: Mit einem grünen Salat als Hauptgang servieren.
Der Salat kann im voraus zubereitet und zugedeckt im Kühlschrank aufbewahrt werden. Dressing direkt vor dem Servieren dazugeben.

Brathähnchen mit Röstkartoffeln

Vorbereitungszeit: 20 Min.

Garzeit: 50 Min. Ergibt: 4 Portionen

ZUTATEN

1 kg Hähnchen
2 TL Butter
1 EL Schnittlauchröllchen
2 TL fein geriebene Schale einer unbehandelten Zitrone
4 Scheiben Frühstücksspeck, ohne Schwarte
6 mittelgroße Kartoffeln
2 TL Öl
180 ml Wasser

KÜCHENGERÄTE

scharfes Messer
Haushaltspapier
Meßlöffel und -becher
kleiner Topf
Holzlöffel
Teigpinsel
Gemüseschäler
Hackbrett
Ofenhandschuhe
kleine Backform
hohe Backform mit Bratgitter

Stell alles, was du brauchst, auf der Arbeitsfläche oder dem Tisch bereit. Schalte den Backofen auf 180 °C.

Schneide loses Fett vom Hähnchen ab. Wasch es gründlich und tupf es mit Haushaltspapier trocken.

1 Butter in einem kleinen Topf bei niedriger Hitze zerlassen. Vom Herd nehmen. Schnittlauchröllchen und Zitronenschale unterrühren. Hähnchen mit der Buttermischung bestreichen.

2 Speckscheiben kreuzweise auf die Hähnchenbrust legen.

3 Kartoffeln mit Gemüseschäler schälen. Waschen und mit Haushaltspapier trocken tupfen. Kartoffeln mit einem scharfen

Bestreiche das Hähnchen mit der Mischung aus Butter, Schnittlauch und Zitronenschale.

Messer halbieren und in die kleine Backform legen. Gut mit Öl einpinseln. In den Backofen stellen.

4 Hähnchen auf das Bratgitter in der hohen Backform legen. Wasser 1,5 cm hoch auf den Backformboden gießen. Ofenhandschuhe anziehen und die Form in den Backofen schieben. Hähnchen und Kartoffeln 50 Min. braten; nach dem Einstechen mit einem Spieß muß der Saft aus dem Fleisch klar fließen. Das Hähnchen sollte goldbraun, Speck und Kartoffeln knusprig sein. Hähnchen in serviergerechte Stücke schneiden. Dazu gebackenes Gemüse (Kürbis kann genauso wie die Kartoffeln zubereitet werden) und Bohnen reichen.

Lachspuffer

Vorbereitungszeit: 20 Min.
Garzeit: 6 Min. Ergibt: 4 Portionen

ZUTATEN

500 g Kartoffeln
Dose rote Lachsschnitzel (210 g), abgetropft
2 EL Mayonnaise
4 Frühlingszwiebeln, gehackt
Mehl
1 Ei
90 g Paniermehl
4 EL Öl

KÜCHENGERÄTE

Kartoffelschäler
scharfes Messer
mittelgroßer Topf
Sieb
große Rührschüssel
Gabel
Holzlöffel
kleine Schüssel
Teigpinsel
große Bratpfanne
Heber
Haushaltspapier

Stell alles, was du brauchst, auf der Arbeitsfläche oder dem Tisch bereit.

1 Kartoffeln schälen und zerkleinern. In einem mittelgroßen Topf in kochendem Wasser garen, abgießen. In die Rührschüssel geben und mit der Gabel zu einem glatten Brei zerdrücken.

2 Lachsschnitzel, Mayonnaise und Frühlingszwiebeln zum Kartoffelbrei in die Schüssel geben. Mit dem Holzlöffel gut verrühren.

3 Mischung in 8 Portionen aufteilen und jede zu einem glatten Puffer verarbeiten.

4 Puffer leicht in Mehl wälzen. Ei in die kleine Schüssel schlagen und Puffer damit bestreichen. In Paniermehl wälzen.

6 Öl in Bratpfanne erhitzen und Puffer in einer einzigen Schicht hineinlegen. Bei mittlerer Hitze 3 Min. von einer Seite goldbraun braten. Mit dem Heber wenden und von der anderen Seite goldbraun braten. Auf Haushaltspapier abtropfen lassen. Dazu Zitronenspalten servieren.

Gebackene Kartoffeln mit Käse und Schnittlauch

Vorbereitungszeit: 15 Min.

Garzeit: 1¼ Stunden plus 20 Min.   Ergibt: 4 Portionen

ZUTATEN

4 mittelgroße Kartoffeln
2 EL herzhafter Käse, gerieben
4 EL saure Sahne
1 EL Schnittlauchröllchen
2 EL herzhafter Käse, gerieben (zusätzlich)

KÜCHENGERÄTE

flache Backform
Ofenhandschuhe
scharfes Messer
Löffel
kleine Rührschüssel
Gabel
Reibe

Stell alles, was du brauchst, auf der Arbeitsfläche oder dem Tisch bereit. Schalte den Backofen auf 180 °C.

1 Kartoffeln mit einer Gabel einstechen und in eine flache Backform legen. 1¼ Stunde backen, bis sie weich sind. Ofenhandschuhe anziehen und Form aus dem Backofen nehmen. Etwas abkühlen lassen.

2 Von jeder Kartoffel das obere Drittel mit einem scharfen Messer abschneiden.

3 Unteren und oberen Teil der Kartoffeln mit einem Löffel aushöhlen. Schale der oberen Teile wegwerfen.

4 Kartoffelfleisch in die Rührschüssel geben und mit einer Gabel zu Brei zerdrücken. Käse, saure Sahne und Schnittlauch dazugeben. Gut verrühren.

5 Kartoffelmischung in die Kartoffelschalen füllen, zusätzlich mit Käse bestreuen. In die Backschale legen. 20 Min. backen, bis die Kartoffeln hellbraun sind.

Spaghetti Bolognese

Vorbereitungszeit: 5 Min.
Garzeit: 20 Min. Ergibt: 4 Portionen

ZUTATEN

2 EL Öl
1 große Zwiebel, gehackt
1 kleine grüne Paprikaschote, gehackt
2 Knoblauchzehen, zerdrückt
500 g Rinderhackfleisch
425 g Tomaten aus der Dose
2 EL Tomatenmark
$^1/_2$ TL Oregano, getrocknet
125 ml Wasser
400 g Spaghetti
Parmesankäse, gerieben

KÜCHENGERÄTE

2 mittelgroße Töpfe
scharfes Messer
Holzlöffel
Dosenöffner
Gabel
Sieb

Stell alles, was du brauchst, auf der Arbeitsfläche oder dem Tisch bereit.

1 Öl im Topf erhitzen. Zwiebel, Paprika und Knoblauch 3 Min. bei mittlerer Hitze rühren, bis die Zwiebel weich ist.

2 Hackfleisch dazugeben. Bei starker Hitze 3 Min. unter Rühren braun schmoren.

3 Dose öffnen und Tomaten mit einer Gabel zerdrücken. Zum Hackfleisch in den Topf geben und Tomatenmark, Oregano und Wasser hinzufügen. Zum Kochen bringen. Hitze auf kleine Flamme zurückschalten. Zudecken und 15 Min. kochen lassen, bis die Soße angedickt ist. Gelegentlich umrühren.

4 Während die Soße kocht, Wasser in einem Topf zum Kochen bringen und Spaghetti hineingeben. 10 Min. kochen lassen, bis sie weich sind. In einem Sieb abtropfen lassen.

5 Spaghetti in eine Servierschüssel füllen. Soße darübergießen und mit Parmesankäse bestreuen.

Hinweis: Du kannst auch 125 g in Scheiben geschnittene Champignons und frische gehackte Kräuter wie Basilikum oder Petersilie in die Soße geben.

Lamm indisch

Vorbereitungszeit: 20 Min.
Garzeit: 10 Min. Ergibt: 4 Portionen

ZUTATEN

750 g Lammkotelett
2 EL Erdnußbutter
1 kleine Zwiebel, gehackt
60 ml Wasser
2 TL Sojasoße
1 TL Currypulver
1 TL frischer Ingwer, gerieben

KÜCHENGERÄTE

Holzspieße
scharfes Messer
große Rührschüssel
Mixer oder Rührgerät
Ofenhandschuhe

Stell alles, was du brauchst, auf der Arbeitsfläche oder dem Tisch bereit. Leg die Holzspieße bis zum Gebrauch in Wasser. Schalte den Grill auf hohe Temperatur.

1 Mit einem scharfen Messer Fleisch vom Knochen lösen und Fett entfernen. Lammfleisch in 2 cm große Würfel schneiden und in die große Rührschüssel legen.

2 Erdnußbutter, Zwiebel, Wasser, Sojasoße, Currypulver und Ingwer in den Mixer geben und 20 Sek. zu einer glatten Mischung verarbeiten. Zum Lammfleisch geben und gut verrühren.

3 Fleischwürfel auf die Spieße stecken. 10 Min. grillen, bis sie gar sind. Mit Ofenhandschuhen Spieße aus dem Backofen nehmen. Während der Garzeit gelegentlich mit der Erdnußbuttermischung bestreichen. Zu den Spießen gekochten Reis servieren.

Hinweis: Anstelle von Lammfleisch kannst du Fleischwürfel vom Rind, Schwein oder Huhn nehmen.

Hühner-Nudel-Topf

Vorbereitungszeit: 15 Min.
Garzeit: 10 Min. Ergibt: 4 Portionen

ZUTATEN

85 g dünne Fadennudeln
500 ml kochendes Wasser
4 Hähnchenfilets aus den Schenkeln
1 EL Mehl
2 EL Öl
1 EL frischer Ingwer, gerieben
1 Knoblauchzehe, zerdrückt
400 g gemischtes Gemüse, tiefgefroren
1 EL Sojasoße
1 TL Currypulver

KÜCHENGERÄTE

Meßbecher
kleiner Topf
scharfes Messer
große Bratpfanne
Holzlöffel
Sieb

Stell alles, was du brauchst, auf der Arbeitsfläche oder dem Tisch bereit.

1 Wasser im Topf zum Kochen bringen, Nudeln darin garen.

2 Fleisch in dünne Streifen schneiden und in Mehl wälzen.

3 Öl in der Pfanne erhitzen, Fleischstreifen darin bei hoher Flamme 2 Min. unter Rühren hellbraun schmoren.

4 Ingwer und Knoblauch dazugeben und noch 1 Min. schmoren. Sojasoße, Gemüse und Curry dazugeben, 3 Min. schmoren, bis alles weich ist.

5 Nudeln abgießen, mit in die Pfanne geben und unter Rühren erhitzen.

Hinweis: Statt Hühnerfleisch kannst du Lamm, Rind oder Schwein nehmen.

Laß die in Mehl gewälzten Fleischstreifen unter Rühren in 2 Min. hellbraun werden.

Kuchen & Nachspeisen

Schoko-Minze-Becher

Vorbereitungszeit: 20 Min.
Garzeit: 20 Min. Ergibt: 12

ZUTATEN

370 g Schokoladenkuchen-Backmischung
12 Eiscremetüten mit flachem Boden
12 viereckige Pfefferminzplätzchen mit Schokoladenüberzug
12 bunte Schokolinsen

KÜCHENGERÄTE

große Schüssel
Holzlöffel
Muffin-Form mit 12 Vertiefungen
Ofenhandschuhe

Lies die Anleitung auf dem Paket mit der Backmischung durch. Stell alles, was du brauchst, auf der Arbeitsfläche oder dem Tisch bereit. Schalte den Backofen auf 180 °C.

1 Teig entsprechend der Anleitung auf dem Paket zubereiten.

2 Eiscremetüten in die Muffin-Form stellen.

3 Jeweils 1½ EL Teig in eine Tüte füllen. 20 Min. backen, bis sich der Kuchen bei leichtem Druck mit der Rückseite eines Löffels fest anfühlt. Handschuhe anziehen und Kuchen aus dem Backofen nehmen.

4 Auf jede Kuchentüte ein Pfefferminzplätzchen legen und für knapp 1 Min. in den Backofen schieben. Nicht zu stark und zu lange erhitzen, sonst schmelzen die Pfefferminzplätzchen und rutschen von den Kuchen.

5 Auf jeden Kuchen eine bunte Schokolinse legen. Kuchen zum Abkühlen in der Form lassen.

Überbackene Vanillecreme

Vorbereitungszeit: 10 Min.
Garzeit: 40 Min. Ergibt: 4 Portionen

ZUTATEN

Öl zum Einfetten der Schüssel
500 ml Milch
3 Eier
50 g Zucker
1/4 TL Vanilleessenz
Muskatnuß, gemahlen, zum Bestreuen

KÜCHENGERÄTE

feuerfeste Schüssel, Inhalt 600 ml
Teigpinsel
Schneebesen
mittelgroße Schüssel
große Backform
Messer
Ofenhandschuhe

Stell alles, was du brauchst, auf der Arbeitsfläche oder dem Tisch bereit. Schalte den Backofen auf 180 °C. Pinsel die feuerfeste Schüssel mit Öl ein.

1 Milch, Eier, Zucker und Vanille in einer Rührschüssel 2 Min. mit dem Schneebesen verrühren.

2 Mischung in die eingefettete feuerfeste Schüssel gießen und mit Muskatnuß bestreuen.

3 Schüssel mit Vanillemischung in große Backform stellen, diese Backform halb mit Wasser füllen. 20 Min. backen, dann auf 160 °C zurückschalten. Weitere 20 Min. backen, bis die Vanillecreme fest ist und nichts mehr an der Klinge haftet, wenn man mit einem Messer in die Mitte sticht. Schüssel sofort aus dem Wasser herausnehmen; dabei Ofenhandschuhe tragen. Die überbackene Creme warm oder kalt servieren, dazu Obst anbieten, wenn gewünscht.

Gieße kaltes Wasser in die Backform, bis sie halb voll ist.

Vanille-Orangen-Torte

Vorbereitungszeit: 15 Min.
Garzeit: 50 Min. Ergibt: 1 Torte, 23 cm Durchmesser

ZUTATEN

Öl zum Einfetten der Form
250 g Mehl
2 TL Backpulver
40 g Vanillepuddingpulver
120 g Zucker
4 EL Butter, zerkleinert
3 Eier
2 TL fein geriebene Schale einer unbehandelten Orange
250 ml Orangensaft
125 g Frischkäse
2 EL Puderzucker

KÜCHENGERÄTE

tiefe, runde Backform, 23 cm Durchmesser
Backpapier, für den Boden der Form zurechtgeschnitten
Mehlsieb
Mixer
Holzlöffel
Ofenhandschuhe
Holzstäbchen

Stell alles, was du brauchst, auf der Arbeitsfläche oder dem Tisch bereit. Schalte den Backofen auf 180 °C.
Pinsel die Backform mit Öl ein. Leg den Boden mit Backpapier aus.

1 Mehl, Backpulver und Puddingpulver durchsieben und mit Zucker und Butterstückchen in den Mixer geben.

2 Den Knopf jeweils 10 Sek. drücken, bis die Mischung fein und krümelig ist.

3 Eier, Orangenschale und Saft in den Mixer geben. 30 Sek. verrühren, bis die Mischung glatt ist.

4 Teig in die Form füllen, Oberfläche glätten. 50 Min. backen, bis am Holzstäbchen, das man in die Mitte einsticht, nichts mehr hängen bleibt.

5 Kuchen 5 Min. in der Form stehen lassen, dann zum Abkühlen auf ein Drahtgitter stürzen.

6 Frischkäse und Puderzucker verrühren und auf dem Kuchen verstreichen. Wenn gewünscht, mit Streifen Orangenschale dekorieren.

Eisbecher mit Erdbeeren

Vorbereitungszeit: 15 Min.
Garzeit: 2 Min. Ergibt: 6 Portionen

ZUTATEN

250 g Erdbeeren
2 EL Zucker
80 ml Orangensaft
12 Kugeln Eiscreme
12 Eiswaffeln
30 g Walnüsse, gehackt

KÜCHENGERÄTE

Mixer
mittelgroßer Topf
Sieb
Eiscremeportionierer

Stell alles, was du brauchst, auf der Arbeitsfläche oder dem Tisch bereit.

1 Erdbeeren waschen und Stiele entfernen. Früchte, Zucker und Orangensaft in den Mixer geben. 20 Sek. zu einer glatten Mischung verrühren.

2 Mischung in den Topf füllen, aufkochen und 1 Min. kochen lassen.

3 Mischung zurück in den Mixer geben. 10 Sek. glatt rühren; durch ein Sieb streichen, um die Samen zu entfernen. Abkühlen lassen.

4 Eiscreme in Serviergläser füllen und mit Erdbeermischung übergießen. Mit Waffeln dekorieren und Walnüssen bestreuen. Wenn gewünscht, dazu Schokokekse und ganze Erdbeeren servieren.

Hinweis: Statt der Erdbeeren kannst du Himbeeren verarbeiten, wenn sie Saison haben.

Super Schokokekse

Vorbereitungszeit: 15 Min.
Garzeit: 30 Min. Ergibt: 25

ZUTATEN

Öl zum Einfetten der Form
200 g Zartbitterschokolade, grob zerkleinert
4 EL Butter
100 g brauner Zucker
60 g Pekannüsse, gehackt
2 Eier, leicht verquirlt
125 g Mehl

KÜCHENGERÄTE

hohe quadratische Kuchenform, 19 cm
Backpapier
Schere
scharfes Messer
mittelgroßer Topf
Sieb
Holzlöffel
Holzbrett
Ofenhandschuhe

Stell alles, was du brauchst, auf der Arbeitsfläche oder dem Tisch bereit. Schalte den Backofen auf 180 °C.
Pinsel die Backform mit Öl ein. Schneide ein Stück Backpapier zurecht, so daß es vom oberen Rand einer Seite über den Boden bis zum oberen Rand der anderen Seite reicht. Fette das Papier ein.

1 Schokolade und Butter in den Topf geben. Bei niedriger Hitze mit einem Holzlöffel umrühren, bis beides zerlassen ist. Vom Herd nehmen; 2 Min. abkühlen lassen.

2 Zucker und Pekannüsse dazugeben und gut verrühren. Eier hinzufügen und gut mischen. Mehl durchsieben und gut unter die Mischung rühren.

3 Mischung in der gefetteten und mit Papier ausgelegten Form verteilen. 30 Min. backen, bis sich der Teig bei Druck mit der Rückseite eines Löffels fest anfühlt.

4 In der Form abkühlen lassen. Auf ein Holzbrett stürzen und in Quadrate schneiden. Mit Puderzucker bestreuen.

Register